Les Chevaux

racontés aux enfants

Écriture visuelle : Benoît Nacci
Mise en page : Lucile Jouret
Photogravure : MCP

Connectez-vous sur :
www.lamartiniere.fr

Les Chevaux
racontés aux enfants

Textes de
Elise Rousseau

Illustrations de
Marguerite Bréguet

De La Martinière
Jeunesse

Sommaire

Les chevaux racontés aux enfants

Depuis des millénaires, les chevaux, symboles de puissance et de liberté, fascinent et font rêver.

Compagnons de labeur, de guerre, de jeu ou de voyage, ils ont suivi pas à pas le destin des hommes depuis qu'ils ont été domestiqués. Sculpteurs, peintres, poètes, cavaliers ou simples promeneurs qui tendent la main pour le caresser, le cheval ne laisse personne indifférent.

De sa naissance à ses premiers galops, de sa liberté sauvage à son dressage jusqu'aux exploits sportifs, des steppes de Mongolie au désert d'Arabie, le monde du cheval est un monde de passions. Bonheur et douleurs y sont mêlés. Car, entre le cheval et son cavalier, rien n'est acquis, rien n'est joué d'avance, tout est possible : l'exploit comme la défaite, la promenade à petits pas tranquilles comme la course effrénée dans un galop débridé.

Les légendes racontent d'ailleurs que c'est un animal fabuleux. Le voici si léger qu'il marche sur les épis de blé sans les courber, qu'il traverse la mer sur la crête des vagues, qu'il danse sous la lune… Et puis, soudain, l'œil révulsé, le souffle brûlant, le voilà qui entraîne les cavaliers égarés au royaume des morts. Cheval imprévisible autant que surprenant, tour à tour sauveur ou meurtrier !

Entre l'enfant et le cheval une relation forte et affective se noue. Les petits cavaliers de la course du Naadam en Mongolie n'en sont-ils pas la preuve, eux qui font corps avec leur monture pendant des heures ? En Afrique, lorsqu'une famille a la chance de posséder un cheval pour transporter hommes et marchandises sur les routes poussiéreuses, ce sont encore les enfants qui s'occupent de lui. Ils vont le laver dans le fleuve, jouent avec lui, lui offrant un peu de liberté. Parfois aussi, c'est au tour du cheval de soigner les enfants handicapés ou en difficultés familiales, comme s'il percevait intuitivement ce que l'on attend de lui… Ainsi, certains chevaux réputés un peu « vifs » deviennent parfois doux comme des agneaux quand on leur pose un enfant sur le dos, au grand étonnement des cavaliers adultes, qui en parlent un peu comme d'un mystère qu'ils ne comprennent pas !

Mais, tous les enfants le savent, monter à cheval c'est avant tout accomplir un rêve. Et, pour devenir un bon cavalier, il faut apprendre à respecter son cheval et à le comprendre pour gagner sa confiance. Car nul ne peut l'approcher contre son gré.

Martine Laffon

D'où viennent les chevaux ?

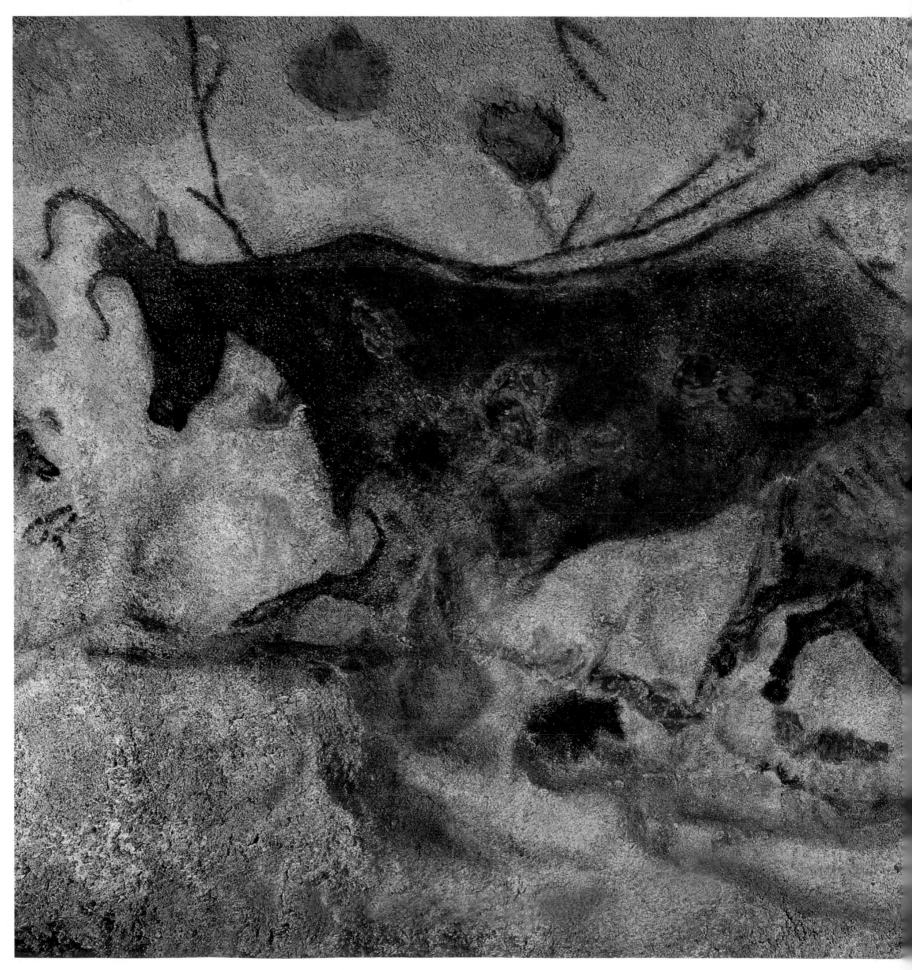

On trouve des représentations du cheval dans les peintures préhistoriques des hommes de Cro-Magnon, sur les murs de différentes grottes, dont celle de Lascaux, en Dordogne, il y a – 17 000 ans…

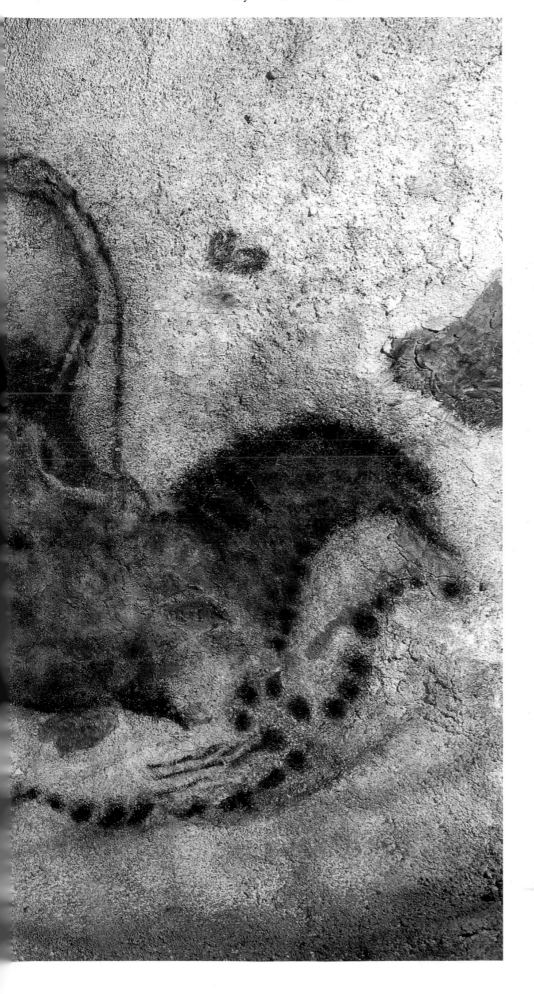

Bien avant l'apparition de l'homme, dans la nuit des temps, vivait l'ancêtre du cheval, un petit animal qui mesurait… une trentaine de centimètres au garrot (petite bosse située à la base du cou du cheval, au-dessus des épaules) ! Cet animal, *Eohippus,* est apparu il y a un peu plus de 60 millions d'années. Il vivait en troupeau dans les forêts tropicales, et ses pieds ressemblaient plus à ceux d'un chien qu'à des sabots. Puis ce quadrupède herbivore évolua jusqu'à donner naissance, un million d'années avant notre ère, au cheval, *Equus.*

Notre cheval actuel, *Equus caballus,* est un herbivore ; sa dentition s'est spécialisée pour broyer l'herbe des prairies. Pour fuir les prédateurs, il a développé une grande rapidité à la course, si bien qu'au fil du temps ses doigts latéraux se sont atrophiés, donnant naissance à son sabot actuel. Ce n'est que très tardivement qu'il fut domestiqué, sans doute vers 3500 avant J.-C. L'homme commença alors à croiser et sélectionner les animaux les plus dociles, les plus rapides ou les plus forts, en fonction de l'utilisation qu'il souhaitait en faire, et créa différentes races de chevaux. Le cheval a d'abord été utilisé pour la viande, pour le lait de ses juments et pour son cuir qui servait, par exemple, à faire des vêtements. Difficile de dire à quel moment il devint la monture des hommes, mais on pense que cela s'est passé peu de temps après sa domestication.

Pour les hommes, le cheval fut pendant très longtemps un simple gibier.

Le cheval de Przewalski

C'est en Mongolie, dans le désert de Gobi,
qu'en 1878 le colonel russe Przewalski a découvert
les derniers représentants de cette espèce
de chevaux aujourd'hui protégée.

Le cheval sauvage *de Przewalski* n'est pas un cheval ordinaire. Il n'a jamais été domestiqué. Contrairement aux chevaux domestiques, *Equus ferus przewalski* possède 66 chromosomes, au lieu des 64 qu'ont les autres chevaux ! Sa crinière pousse droite et il n'a pas de toupet sur le front. De couleur isabelle ou louvet (jaune avec le crin et les extrémités noirs), il a souvent des zébrures sur les pattes.

Chassé par les Mongols comme gibier et au bord de l'extinction, on n'avait plus revu d'individus libres dans la nature depuis 1966. Mais grâce aux chevaux gardés en captivité dans les zoos, plusieurs programmes de réintroduction ont vu le jour. Depuis 1992, un petit troupeau à l'état sauvage a ainsi été reconstitué dans le parc national des Cévennes, en France. Les poulains nés de ce troupeau sont relâchés sur leur terre d'origine, la Mongolie, afin de rétablir la population sauvage. Aujourd'hui, il resterait 1 600 individus en captivité, et environ 250 individus réintroduits dans la nature.

On pense que les chevaux domestiques actuels descendraient du *cheval de Przewalski* et de deux chevaux aujourd'hui disparus, le *tarpan* et le *cheval de Solutré*.

Le tarpan a eu moins de chance :
le dernier individu libre de cette espèce
ancestrale, qui vivait en Pologne,
est mort en 1879, suivi en 1887 par
le dernier tarpan demeurant dans un zoo.

Les chevaux en liberté

En Camargue, les troupeaux de chevaux sont élevés en liberté dans les marais, en compagnie des taureaux et des oiseaux.

Des troupeaux de chevaux, libres comme le vent, existent aux quatre coins de la planète ! Pourtant, excepté les rares *chevaux de Przewalski* (en Mongolie), ces chevaux ne sont pas de vrais chevaux sauvages. Il s'agit de chevaux domestiques qui sont retournés à l'état sauvage, soit en s'échappant, soit parce qu'ils étaient abandonnés par les hommes. Ainsi, les farouches *mustangs* d'Amérique du Nord sont les descendants des chevaux des conquistadors espagnols du XVIᵉ siècle. Les *brumbies* d'Australie ont quant à eux pour ancêtres les chevaux de la ruée vers l'or. Malheureusement, les chevaux sauvages ne sont pas très bien vus par les hommes, car ils font concurrence au bétail sur les pâturages ; ils sont souvent abattus.

Mais les chevaux en liberté ne sont pas tous des chevaux sauvages. Il peut aussi s'agir de chevaux élevés en plein air, avec un mode de vie naturel. Cette méthode d'élevage produit des animaux résistants et équilibrés, qui font d'excellentes montures.

Les mustangs, comme tous les chevaux sauvages, sont très farouches et difficiles à capturer.

La vie du troupeau

Dès qu'il sent un danger, le troupeau tout entier prend la fuite au triple galop. Dans la nature, le cheval est une proie, et vivre en groupe lui permet de mieux se protéger.

Lorsqu'ils vivent en liberté, les chevaux s'organisent en petits troupeaux, constitués d'un seul étalon, de plusieurs juments et de leurs poulains. La hiérarchie est très importante chez les chevaux. L'étalon est chargé de veiller et de défendre le troupeau, et la jument dominante, souvent un peu plus âgée et expérimentée que les autres, conduit le troupeau lors des déplacements, pour aller boire ou manger. En cas de danger, les poulains se réfugient à l'intérieur d'un cercle formé par les juments, qui les protègent des attaques extérieures.

Le troupeau des juments est très convoité par les étalons célibataires, qui vivent parfois en groupe de jeunes mâles. Lorsque ceux-ci provoquent l'étalon, de spectaculaires combats ont lieu. Les mâles se dressent sur leurs pattes arrière et frappent de leurs pattes avant tout en cherchant à mordre. Souvent, l'un des chevaux est blessé, mais il est très rare que le combat mène l'un des adversaires à la mort. En général, le perdant finit par prendre la fuite. L'étalon victorieux devra ensuite se faire accepter par les juments et pourra se reproduire avec elles.

Les étalons peuvent se battre violemment pour la possession d'un troupeau de juments.

L'accouplement

Pour séduire la jument (lorsque celle-ci est en chaleur), l'étalon va l'entourer de beaucoup d'attentions.

Avant de s'accoupler, l'étalon va s'approcher avec précaution et toiletter la jument le temps nécessaire pour qu'elle l'accepte. Si elle n'est pas d'accord, la jument chasse l'étalon par des ruades, si elle est d'accord, elle le montre en relevant la queue, et l'accouplement peut avoir lieu. Il dure quelques secondes.

La période de reproduction s'étend du début du printemps à la fin de l'été. Pendant ces quelques mois, les chaleurs des juments reviennent tous les 22 jours. L'étalon, lui, peut procréer toute l'année. De nos jours, dans la plupart des élevages, on fait se reproduire les meilleurs étalons, qu'on sélectionne pour améliorer les races. Mais, afin de gagner du temps et de féconder un maximum de juments, cette reproduction a lieu de façon peu naturelle : ou bien on présente à l'étalon des juments en chaleur que l'on attache pour éviter qu'elles ne se défendent, ou bien on prélève son sperme pour pratiquer une insémination artificielle. Mais certains éleveurs préfèrent laisser faire la nature en lâchant dans le pré un étalon en liberté avec le troupeau.

La jument, qui peut avoir son premier poulain dès l'âge de deux ans, a une durée de gestation de 330 jours.

La naissance du poulain

Avant de mettre bas, la jument est très nerveuse. Elle s'agite et transpire beaucoup.

On sait qu'une jument est prête à pouliner, c'est-à-dire à accoucher, quand ses mamelles grossissent et laissent couler une substance cireuse. Elle se couche, puis le poulain sort la tête la première, ses longues pattes avant étendues devant lui.

Dès qu'il est sorti, sa mère le lèche très soigneusement pour le réchauffer, le nettoyer et s'imprégner de son odeur. Il est capable de se relever quelques minutes seulement après la rupture du cordon ombilical. Une fois debout, le poulain cherche très vite à téter. Ses premiers mouvements sont maladroits et ses pattes semblent interminables. Mais le petit poulain naît déjà formé et prêt à affronter tous les dangers de la plaine : il peut voir, entendre et galoper auprès de sa mère quelques heures après sa naissance ! Dans les élevages, on sépare les juments de leur poulain à l'âge de six mois, au moment où le jeune cheval est capable de se nourrir tout seul. Souvent, la séparation est brutale et affecte l'animal pendant plusieurs jours. Mais des méthodes progressives sont de plus en plus souvent utilisées.

Le poulain est très joueur et taquine parfois sa mère.

La communication

Les chevaux sont des animaux très sociaux, qui n'aiment pas la solitude et apprécient le contact, avec les humains parfois, mais surtout avec leurs congénères.
La communication est très importante pour eux.

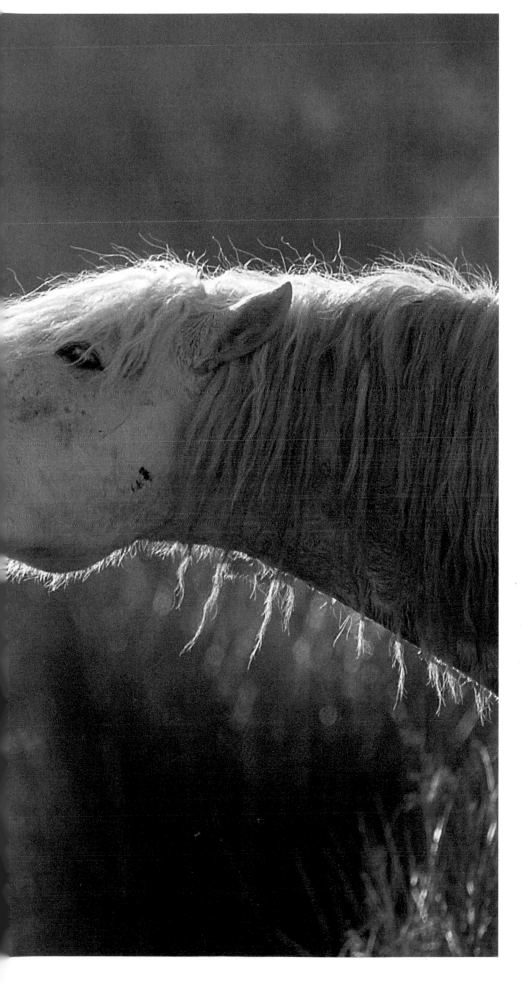

Chez les chevaux, la communication passe essentiellement par le langage corporel. Les rapports de domination entre individus s'expriment souvent à travers des gestes : coups de sabots, bousculades et morsures ne sont pas rares. À l'inverse, de bons amis ne manqueront pas de se manifester leur sympathie par de nombreux grattouillis et mordillements agréables, à l'occasion d'un toilettage mutuel. Les chevaux sont des animaux sociaux qui ont un grand sens de l'amitié et des attachements durables.

Néanmoins, ce langage du corps peut être plus subtil : le cheval dit beaucoup de choses à travers la position de ses oreilles. Ses oreilles sont dressées ? Il est très attentif. Il les couche vers l'arrière ? Il est mécontent. Elles sont en mouvement continuel : il est inquiet. Pendantes ? Il fait la sieste. Une oreille est inclinée vers l'arrière et l'autre vers l'avant : il réfléchit… Mais, en plus de ce langage corporel, les chevaux peuvent aussi utiliser le hennissement pour communiquer. Ils ne manqueront pas, par exemple, d'exprimer ainsi leur impatience si le soigneur tarde à venir leur donner à manger. Il leur arrive aussi de soupirer, bâiller, s'ébrouer en soufflant par les narines… Un cavalier, même débutant, a tôt fait de comprendre ce qu'exprime son cheval !

attentif

détendu et content

pas très content

menaçant

apeuré, inquiet

assoupi

Des pelages très variés

Comme toutes les races domestiques, chiens, chats ou vaches, les chevaux peuvent avoir des couleurs de poil très différentes.

Bai, alezan, souris, isabelle, rouan, palomino, aubère, louvet, crème, pie… Il existe beaucoup de mots techniques pour désigner les différentes couleurs des chevaux ! On appelle « robe » l'ensemble des poils et des crins du cheval. La robe est « simple » quand les poils et les crins sont de la même couleur (noir ou blanc, par exemple); elle est « composée » quand les poils et les crins sont de couleurs différentes (comme le bai, qui est un cheval roux avec des crins noirs) ou bien quand les poils sont de deux ou trois couleurs mélangées (le rouan est un mélange de poils blancs, rouges et noirs). Beaucoup de nuances permettent de décrire les variantes de la robe : un gris peut être pommelé, moucheté, clair, foncé...

Souvent, les animaux d'une même race sont tous de la même couleur : les *frisons* ou les *mérens* sont noirs, les *lipizzans* sont presque toujours gris. Le vrai cheval blanc est assez rare : en fait, il a la peau rose, alors que le cheval gris, plus commun, a la peau noire. Les *camarguais* et beaucoup de races « grises » naissent bais et voient leur pelage s'éclaircir au fil des années. Les chevaux ont aussi souvent des taches blanches sur le front (comme les « étoiles ») ou sur les pattes (les « balzanes »). Toutes ces particularités permettent de différencier les chevaux entre eux.

Bai

Palomino

Pie

Les différentes races de chevaux

Il existe plus de 170 races de chevaux et poneys à travers le monde. Elles ont été pour la majorité créées et améliorées par les hommes. Ceux-ci, par croisement, inventent régulièrement de nouvelles races.

Les races de chevaux sont généralement classées en trois grands types : les lourds chevaux de trait, les chevaux de sang ou de selle (qui sont plus légers que les chevaux de trait) et les poneys. Ce sont des distinctions fondées sur l'apparence physique. Administrativement, les poneys sont tous les chevaux dont la taille est inférieure ou égale à 1,48 mètre au garrot. Pourtant, il n'y a parfois pas beaucoup de différence entre un cheval de 1,49 mètre et un poney ! Selon les races, l'aspect extérieur va changer (couleur de la robe, corpulence…), le caractère également. Un pur-sang sélectionné pour la course sera presque toujours une monture beaucoup plus nerveuse qu'un cheval de selle. Aussi, lorsqu'un cavalier souhaite acheter un cheval, il doit bien se renseigner auparavant pour savoir quelle race correspond le mieux à l'utilisation qu'il va en faire.

Chevaux de trait	Chevaux de selle	Poneys
percheron	selle français	shetland
shire	anglo-arabe	haflinger
ardennais	pur-sang	falabella
clydesdale	barbe	mérens
postier breton	akhal-téké	connemara
boulonnais	lipizzan	dartmoor
comtois	lusitano	highland
frison	pinto	new forest
trait belge	quarter horse	fjord
suffolk	appaloosa	islandais

Poneys et enfants : une relation particulière

Un lien affectif très fort uni les enfants et les poneys.
Ces derniers, qui malgré leur petite taille sont
des animaux à forte personnalité, ont à la fois
un rôle d'animal domestique et un rôle éducatif.

Plus petits, souvent plus espiègles que les chevaux, les poneys sont pour les enfants des compagnons de jeux et d'apprentissage. Certains *shetlands* mesurent moins d'un mètre au garrot (petite bosse située à la base du cou du cheval, au-dessus des épaules), ce qui les rend accessibles aux plus jeunes. Ils sont donc les premières montures des apprentis cavaliers, qui peuvent commencer à les monter dès l'âge de quatre ans.

Les bienfaits des poneys sur les enfants sont nombreux : s'occuper d'un animal imprévisible et au caractère affirmé apprend à faire preuve de responsabilité, d'assurance, de patience et de respect. La relation affective qui s'établit avec l'animal enrichit l'enfant, le rassure, et l'autorité qu'il doit déployer pour se faire obéir lui donne confiance en lui.

Pourtant, leur relation est parfois mouvementée : docile mais vif, le poney peut écraser par mégarde un bout de pied avec son sabot, faire chuter son cavalier, lui donner un coup de tête... Mais ces désagréments sont vite oubliés et le poney reste un compagnon irremplaçable pour ceux qui l'ont adopté. Attention cependant, c'est un animal qui demande beaucoup de soins et de temps, et son acquisition est une grande responsabilité et un engagement sur le long terme. Les poneys-club restent donc le plus souvent la meilleure solution pour offrir à son enfant les avantages du poney... sans les inconvénients !

Les enfants aiment beaucoup caresser
le pelage doux des poneys et leur offrir
des friandises, comme des carottes,
du pain ou des pommes.

31

Le débourrage du jeune cheval

Le débourrage est un moment clé dans la vie du cheval. C'est celui où l'homme lui apprend à accepter le mors, la selle... et le cavalier !

Si autrefois il s'agissait plutôt de dompter sa monture, aujourd'hui, avec l'influence de l'éthologie (la science du comportement animal), pour débourrer un poulain (c'est-à-dire pour pouvoir le monter), on procède de façon douce et progressive, en tenant compte de la psychologie du cheval. En effet, un débourrage raté peut marquer à vie l'animal, en le rendant rétif ou très craintif ! Parmi les spécialistes de la communication avec le cheval, qu'on appelle parfois les « chuchoteurs », il y a de véritables maîtres pour débourrer rapidement les chevaux, même les plus difficiles.

Le jeune cheval est un animal très réactif, nerveux et imprévisible, qui a besoin d'être rassuré. Son éducation exige beaucoup d'attention, de temps et une grande patience. Le poulain peut se défendre par de nombreux bonds et ruades lorsqu'on lui met pour la première fois une selle puis un cavalier sur le dos. Le débourrage est donc réservé aux cavaliers expérimentés. On commence à débourrer les poulains vers l'âge de deux ans environ. Suivra ensuite tout le travail de dressage, en fonction de la discipline à laquelle le cheval est destiné.

Le moment où le cavalier enfourche pour la première fois sa jeune monture donne parfois lieu à de véritables rodéos.

33

À quoi sert le harnachement ?

Tenir assis sur un cheval et le diriger n'est pas toujours chose aisée, c'est même parfois une partie d'équilibre ! L'homme a donc inventé, pour s'y aider, les différentes pièces du harnachement.

Le harnachement est l'ensemble des instruments, généralement en cuir, qui permettent à l'homme de monter et de diriger le cheval. Pour guider le cheval, la bride est composée de lanières qui entourent sa tête, d'un mors (barre placée dans sa bouche) en fer ou en plastique, qui, à l'aide des rênes auxquelles il est relié, transmet au cheval les indications du cavalier. La selle aide ce dernier à se tenir plus facilement assis sur sa monture. Elle est attachée sous le ventre du cheval au moyen d'une sangle. Les étriers donnent au cavalier un appui pour ses jambes et un meilleur équilibre ; ils sont fixés à la selle par des courroies réglables.

Chaque pays possède son propre harnachement, symbole de sa culture et du mode d'équitation qui s'y rattache. Le harnachement demande un entretien rigoureux, faute de quoi il peut blesser le cheval et être dangereux pour son cavalier, en se cassant, par exemple, en plein galop. Pour éviter que le cuir ne se dessèche, on le range dans une pièce prévue à cet effet : la sellerie.

Le licol sert à aller chercher le cheval dans un pré ou à le changer de box sans qu'il s'échappe.

Le maréchal-ferrant

À l'époque où il y avait énormément de chevaux dans les villes et les campagnes, le métier de maréchal-ferrant était très répandu. Il est plus rare de nos jours, mais, entre les centres équestres, les haras et les propriétaires de chevaux, cette profession n'est pas près de disparaître.

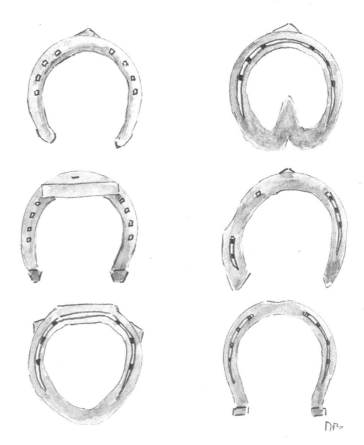

Bing bing bing ! La présence du maréchal-ferrant dans une écurie se signale généralement par le tintement du marteau sur l'enclume. Le rôle du maréchal-ferrant est essentiel. Il s'agit de protéger la corne du sabot du cheval par un fer, fixé avec des clous spéciaux et parfaitement adapté à la forme du pied, afin que celle-ci s'use moins rapidement. La corne du sabot est en réalité un gros ongle, totalement insensible car composé de matière morte. La pose d'un fer est donc indolore pour le cheval, même si celui-ci n'apprécie pas toujours qu'on lui lève le pied pendant longtemps ou n'aime pas l'odeur de fer chaud et le bruit que produit le maréchal-ferrant.

Selon les chevaux et la rapidité de pousse de la corne, il faut renouveler la pause des fers toutes les quatre à six semaines. Il faut alors parer le pied, c'est à dire enlever la corne superflue qui a poussé sous le fer. Il existe même des fers orthopédiques qui permettent de compenser les défauts des membres de certains chevaux.

Il existe toutes sortes de modèles de fers différents, qui peuvent s'adapter aux sabots de chaque cheval.

Le cheval, une force à employer

En Belgique, les chevaux de trait ont longtemps été utilisés pour la pêche à la crevette, marchant à pas lourds dans l'eau de mer en tirant des filets.

Pendant des milliers d'années, bien avant de devenir un animal de loisirs et de compagnie, le cheval était pour l'homme un véritable outil de travail. Les individus les plus forts et les plus puissants ont été sélectionnés pour donner les races de chevaux de trait. Ceux-ci servaient autrefois à tirer des charges lourdes, à labourer les champs, attelés à une charrue, à transporter des marchandises. Puis les tracteurs et les camions sont apparus et l'on a cessé de faire appel à eux.

Ayant perdu toute utilité, ces races lourdes, imposantes et musclées, furent alors destinées à la boucherie chevaline. Mais, heureusement, ces chevaux d'une grande gentillesse sont de plus en plus appréciés pour les activités de loisirs : promenade en roulotte, attelage de compétition, spectacle… Ils sont aussi utilisés dans certaines villes pour entretenir les espaces verts, et dans les campagnes par quelques agriculteurs pratiquant la culture biologique, soucieux de ne pas polluer l'environnement.

Avant l'apparition des tracteurs, les chevaux étaient utilisés pour les travaux agricoles, en particulier pour le labour.

Le compagnon de voyage des nomades

Robuste, endurant, docile, le cheval est un partenaire privilégié des peuples nomades.

Parce qu'il augmente considérablement la capacité à se déplacer, le cheval est l'allié indispensable des peuples nomades. Il n'a pas lui-même de territoire et est en perpétuel mouvement, à la recherche de nouveaux pâturages. Un mode de vie itinérant correspond donc à sa nature profonde, bien plus que de rester toute la journée enfermé dans un box !

En Europe, même si beaucoup de bohémiens ont troqué le cheval et la roulotte contre la voiture et la caravane, certains perpétuent la tradition, et l'on peut encore entendre résonner le pas de leurs chevaux sur les routes goudronnées.

De même, en Arabie, les Bédouins, nomades qui vivent dans le désert, associent le cheval et le dromadaire pour former leurs longues caravanes. Ces cas restent cependant exceptionnels, car, partout dans le monde, les peuples se sédentarisent et s'équipent de voitures, oubliant au passage leur ancien compagnon de route.

Les chevaux peuvent facilement transporter la tente des nomades.

Les jeux collectifs à cheval

Pratiqué depuis des siècles par les peuples afghans, le jeu du *bozkaschi* a pour but de conquérir le cadavre décapité d'un chevreau.

De la même façon qu'il existe des sports collectifs à pied, il existe des sports collectifs à cheval. Le horse-ball et le polo sont les plus populaires. Le polo est un sport ancien, qui a été amené d'Inde par les colons anglais dans la seconde partie du XIXe siècle. Les cavaliers doivent pousser, à l'aide de leur maillet, la balle entre les buts adverses constitués de deux poteaux. Le polo est un sport onéreux, car il nécessite plusieurs montures par joueur. En effet, un match se composant de huit périodes de 7 min 30 s chacune, il serait beaucoup trop fatigant pour un seul cheval. Il faut donc en changer à chaque période.

Au horse-ball, il s'agit de marquer des paniers à l'aide d'un ballon, ce dernier étant muni d'anses pour pouvoir être récupéré au sol sans descendre de cheval.

Dans ces deux jeux, deux équipes de quatre cavaliers s'affrontent sur le terrain et le règlement est très scrupuleux sur les règles de priorité, afin d'éviter les collisions dangereuses entre les adversaires.

Le polo est un jeu collectif à cheval très prisé, en particulier dans les pays anglo-saxons.

Le cheval dans l'histoire de l'art

Les artistes ont toujours aimé faire figurer
des chevaux dans leurs œuvres, car ces animaux
sont des modèles très expressifs et esthétiques.

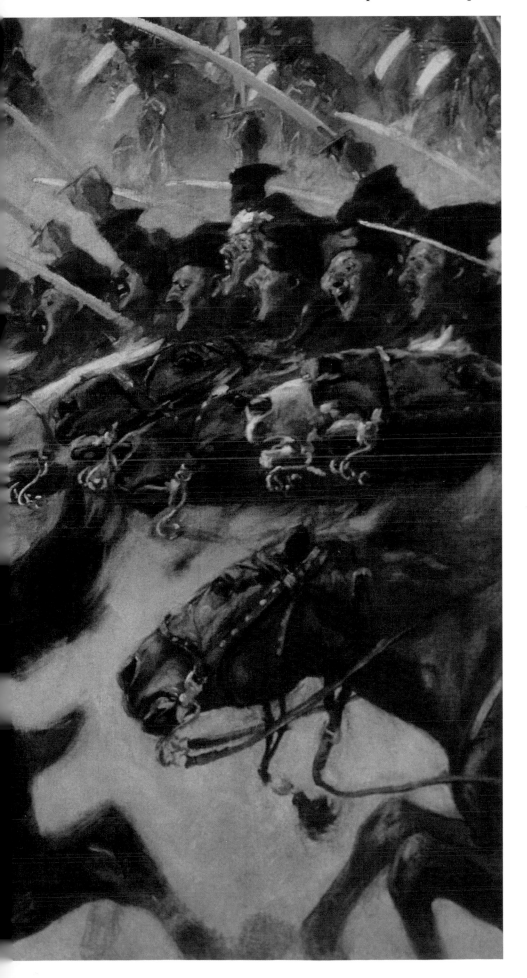

Peinture, sculpture, gravure, poésie et même
musique, tous les arts ont représenté le cheval dans
sa beauté, sa puissance et sa fougue, et cela depuis la plus
lointaine Antiquité. Pour donner une plus grande pres-
tance à un modèle, un roi ou un général, le meilleur
moyen était de le faire poser sur son cheval. Jusqu'au
début du XXe siècle, difficile également de peindre les
scènes de la vie quotidienne ou guerrière sans le cheval,
tant il était présent dans la vie des hommes ! Certains
peintres, comme Théodore Géricault, en ont même fait
le sujet principal de leurs tableaux.

Pendant longtemps, les hommes n'ont pas su repré-
senter le cheval au galop : il a fallu attendre l'invention du
cinématographe pour y parvenir. Jusque-là, le cheval
lancé au galop était peint de manière totalement irréa-
liste, les antérieurs projetés en avant et les postérieurs en
arrière. Ses jambes ne touchaient pas terre, on appelait
cela le « galop volant ».

Dans la littérature,
cet animal est aussi
très présent, car il fut
longtemps le compa-
gnon indispensable
des personnages,
comme en témoi-
gne la célèbre tirade
que Shakespeare
fait dire à Richard
III : « Un cheval ! Mon
royaume pour un che-
val ! »

Depuis le Moyen-Âge, de nombreux
manuels permettent aux cavaliers
d'apprendre à peindre les chevaux.

La course des enfants mongols

En Mongolie, des centaines de filles et de garçons participent à l'une des courses les plus prestigieuses de l'année. Ils doivent chevaucher, aussi vite que possible, pendant quarante kilomètres.

En Mongolie, le cheval est roi. Dès le XIIIe siècle, ces redoutables guerriers qu'étaient les cavaliers mongols furent rendus célèbres par le conquérant Gengis Khan. Pour ce peuple nomade, savoir monter à cheval est une question de survie. Leurs chevaux, petits mais très endurants et résistants, sont élevés en troupeaux et vivent dans une liberté aussi totale que leurs maîtres. Seuls les chevaux hongres (mâles castrés) sont montés.

Les enfants apprennent l'équitation dès leur plus jeune âge. Les courses sont particulièrement prisées, et si les « jockeys » sont des enfants, c'est qu'ils sont beaucoup plus légers que les adultes et permettent aux chevaux de galoper plus vite et plus longtemps. Ces fêtes sont l'occasion d'un grand rassemblement et de grandes réjouissances, aux festins abondamment arrosés de lait de jument fermenté.

Le cheval fut pour Gengis Khan une véritable arme de guerre. Ses cavaliers nomades lui permirent de constituer l'empire le plus étendu qui ait jamais existé.

Le cheval, acteur de cinéma

Au cinéma, les chevaux jouent à la perfection la scène qu'on leur a apprise, en véritables professionnels.

Westerns ou films historiques ne peuvent se faire sans les chevaux. Et ceux-ci sont bien souvent des acteurs à part entière. Fini le temps où, pour le besoin de cascades, on n'hésitait pas à tuer des animaux ! Les sociétés de protection des animaux veillent et, à présent, quand un cheval s'écroule dans un film, comme s'il était mort, c'est tout simplement parce qu'on lui a appris à le faire. Les chevaux sont devenus des cascadeurs ! Mais pas seulement : on peut aussi enseigner au cheval à secouer la tête sur commande, à se cabrer… Le plus grand dresseur de chevaux de cinéma s'appelle Mario Luraschi, et toutes les vedettes qui doivent apprendre rapidement à monter à cheval pour les besoins d'un film le connaissent. Ses chevaux sont capables de mille prouesses. Grâce à des combinaisons spéciales, on peut par exemple leur faire prendre feu sans qu'ils ressentent la moindre douleur ni cherchent à fuir. Quelle performance d'obtenir tant de choses d'animaux d'un naturel si craintif !

Dans les films se glissent parfois de petites erreurs historiques : pour les besoins du cinéma, certaines races de chevaux sc trouvent dans des lieux ou des époques… où il est impossible qu'elles existent !

Monté par un cavalier cascadeur, le cheval peut apprendre à chuter de façon spectaculaire sans se faire le moindre mal.

Le cheval dans les mythes et les légendes

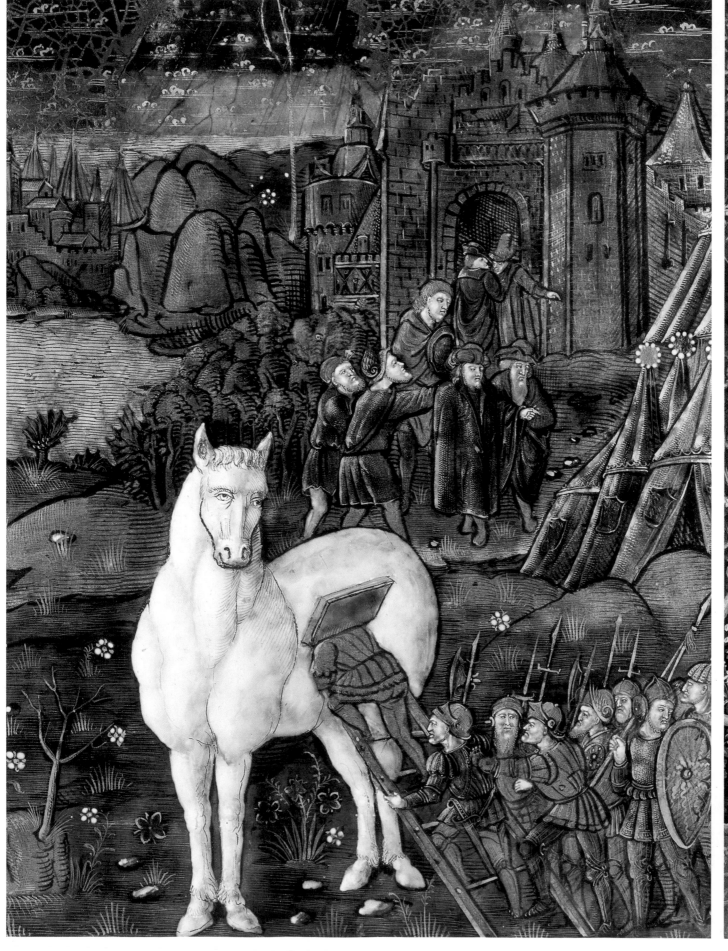

Le cheval est un sujet récurrent des mythes et des légendes. On peut voir ici les Grecs se cachant dans le cheval de Troie ainsi que la célèbre tapisserie de la Dame à la licorne, qui date du XVe siècle.

Il existe une infinité de contes et de légendes au sujet du cheval. Les licornes, animaux fabuleux, symbolisent la pureté : mi-cheval, mi-chèvre ou cerf, elles portent une corne unique au milieu du front. Les centaures, symbole de l'union parfaite entre le cavalier et sa monture, possèdent le buste d'un homme et le corps d'un cheval. La légende grecque du cheval de Troie est celle d'une ruse de guerre : les guerriers s'étaient cachés dans un énorme cheval de bois afin de s'introduire dans la ville qu'ils assiégeaient.

Et qui n'a entendu parler du fameux Bucéphale ? Ce cheval noir fut celui d'Alexandre le Grand. Il était connu pour être indomptable, et nul n'en était venu à bout. Mais le jeune Alexandre s'aperçut que le splendide animal avait tout simplement…peur de son ombre. Il suffisait de lui tourner la tête vers le soleil pour réussir à le monter ! La légende dit que Bucéphale sauva plusieurs fois la vie de son maître avant de périr lors d'une bataille et qu'Alexandre fonda, en hommage à son fidèle compagnon, une ville près de sa tombe.

Pégase, le cheval ailé, porte le tonnerre et les éclairs du dieu Zeus, symbolisant l'inspiration poétique.

Les haras dans le monde arabe

Ce cheval arabe est un étalon qui appartient au haras royal de Bouznika, au Maroc. Pour présenter leurs chevaux, les personnels des haras les tiennent généralement par une longe, sans harnachement, afin de mieux faire admirer l'animal.

Pour les Arabes, les haras sont très importants. Ce sont les lieux où l'on fait se reproduire les meilleurs chevaux, en vue de perpétuer ou d'améliorer la race. Posséder les plus beaux chevaux a toujours été, pour les Arabes, le signe de la richesse et de la noblesse, et cette passion est très vivace : les sultans ont rivalisé pour détenir les plus belles écuries.

Ce n'est pas un hasard si, de tous les peuples du monde, les arabes sont ceux qui ont créé une des races les plus charismatiques et les plus belles qui soient : le *cheval arabe*. Ils l'appellent « le buveur d'air » à cause de ses naseaux, fins et largement ouverts, et de sa rapidité. Ses formes sont harmonieuses, ses poils, fins et soyeux, sa tête est racée et sa queue, portée en panache. De petite taille, il est vif, résistant, intelligent et courageux. Élevé à l'origine dans des contrées arides, c'est un cheval très endurant. Dans les haras occidentaux, qui ont la même fonction de reproduction et de sélection que les haras marocains, ce pur-sang a d'ailleurs été croisé avec de très nombreuses races en vue de les bonifier.

Dans tous les haras du monde, les chevaux sont gardés dans des écuries qui sont parfois somptueuses.

Les chevaux de parade

En France, la garde républicaine parade à l'occasion
des défilés officiels, lors de la Fête nationale par exemple.

Les hommes ont été, des siècles durant, très fiers de leurs montures, symboles de richesse, de noblesse et de pouvoir. Aussi, un peu partout dans le monde, lors des événements importants de l'année, les meilleurs chevaux sont exhibés, ornés pour l'occasion de leur plus belle parure.

La parade est si importante, surtout dans les pays latins, que les hommes ont élevé certaines races dans ce but. Ainsi, en Amérique du Sud, le *paso fino* est réputé pour ses allures spectaculaires. En Espagne, les fêtes, appelées « ferias », sont souvent religieuses, et c'est le moment pour les cavaliers (les *caballeros*) de montrer la finesse de leur art équestre en défilant dans les rues. Mais la parade est aussi l'occasion pour les armées du monde entier de faire admirer leur cavalerie. La Horse Guard en Angleterre ou la Garde républicaine en France sont les vestiges d'une époque où le cheval était une arme de guerre. L'une des parades les plus impressionnantes de nos jours est la « fantasia », durant laquelle les cavaliers arabes font **démarrer** leurs chevaux au triple galop en tirant des **coups de fusil** en l'air !

Le cheval de parade est dressé pour ne pas avoir peur de la foule enthousiaste.

L'art du dressage

En Autriche, les étalons de l'Ecole nationale de Vienne exécutent des figures très complexes, guidés par des cavaliers hors pair.

Les cavaliers ont, de tout temps, réfléchi à la manière de rendre l'équitation la plus harmonieuse possible. Le débourrage du cheval (domptage permettant de monter le cheval) s'est assorti très rapidement d'un art du dressage, destiné à apprendre au cheval à effectuer des figures particulières. Dans l'Antiquité, Xénophon d'Athènes (430-355 avant J.-C.) a écrit un manuel de dressage où il parlait déjà de l'importance du tact, de la légèreté et de la maîtrise de soi. Plus tard, à la Renaissance, les hommes voulurent donner à l'équitation perfection et beauté. En France, en Italie, en Autriche et en Allemagne, l'art du dressage prit alors un essor considérable, se développant dans des manèges, (salles couvertes où l'on monte les chevaux).

Aujourd'hui, de célèbres écoles continuent d'instruire les meilleurs écuyers et de montrer, à travers des spectacles, l'étendue de leur savoir-faire, comme, en Autriche, la prestigieuse École espagnole d'équitation de Vienne ou, en France, le Cadre noir de Saumur. Cette équitation d'un très haut niveau, qui apprend au cheval à effectuer des figures très difficiles (sauter dans les airs, se cabrer avec un cavalier sur le dos…), a été surnommée de « haute école ». Le général Alexis L'Hotte a résumé l'art du dressage dans une célèbre phrase : « En avant, calme et droit ! »

Le dressage est aussi une discipline sportive pratiquée lors des Jeux olympiques.

Le rodéo des cow-boys d'Amérique

Le cow-boy doit tenir huit secondes sur sa monture sans tomber, tout en tenant très haut au-dessus du cheval l'une de ses deux mains libres !

Un cow-boy essayant de rester le plus longtemps possible sur un cheval bondissant, furieux et apeuré, devant une foule survoltée, voilà l'image que l'on a du rodéo. Mais le rodéo n'est pas seulement un jeu ! À l'origine, il s'agit de monter pour la première fois de jeunes chevaux appelés « broncos », qui n'ont presque jamais vu les hommes.

Le rodéo permet de montrer l'habileté des cow-boys à garder l'équilibre sur un animal qui n'a qu'une seule idée : éjecter son cavalier. En effet, il ne faut jamais oublier que, dans la nature, le cheval est une proie. Un homme ainsi placé sur son dos sans cérémonie est donc considéré comme un prédateur ! L'animal se défend vivement, se croyant attaqué.

Le rodéo est devenu en Amérique un moment traditionnel de réjouissances et de festivités, durant lequel ont lieu différentes épreuves : capture d'un veau au lasso, course entre des barils... Si cette méthode est plutôt désagréable pour le cheval, elle l'est tout autant pour le téméraire cavalier, qui, souvent, mord rapidement la poussière. À l'exception du rodéo, de nos jours, l'équitation pratiquée par les cow-boys est souvent douce, pleine de bon sens et de respect pour les chevaux !

Le mot « cow-boy » veut dire « garçon vacher ». Monté sur son cheval, il garde et dirige le troupeau.

Les chevaux et la corrida

En Andalousie, dans les arènes de Séville,
ce cheval de corrida doit être assez agile
pour éviter les cornes du taureau…

Que celle-ci se déroule à pied ou montée, le cheval est toujours présent dans la corrida, ce « jeu » espagnol qui a pour objet la mise à mort d'un taureau. Dans la corrida à pied, le cavalier qui vient aider le torero à abattre le taureau est appelé « picador ». Son cheval est protégé par un manteau rembourré, le caparaçon. Le picador doit approcher le taureau au plus près pour lui enfoncer la pique dans le cou et le faire saigner. Mais le cheval est parfois renversé par la charge du taureau et peut finir éventré. Quant à la corrida montée, le cheval, pour être plus libre de ses mouvements, ne bénéficie même pas de protection. Ses blessures sont donc nombreuses.

Beaucoup de chevaux sont morts dans les arènes, en particulier de vieux chevaux, envoyés à la corrida car ils n'ont plus de valeur ! Si un homme peut décider d'affronter par jeu le danger, voire la mort, de quel droit implique-t-il un animal, qui plus est un compagnon fidèle, dans cette bravade ?

Des protections sont censées protéger
le cheval des charges du taureau.

61

La chasse à courre, une chasse à cheval

Beaucoup de cavaliers de chasse à courre pratiquent cette activité, disent-ils, davantage comme une occasion de monter à cheval en forêt que pour le plaisir de chasser.

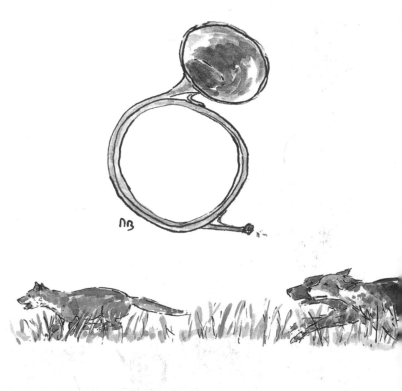

La chasse à courre est une chasse qui se déroule généralement à cheval, avec l'aide d'une meute de chiens. Il s'agit de poursuivre un animal (renard, lièvre, sanglier, chevreuil ou cerf) jusqu'à ce que les chiens réussissent à l'encercler et à le mettre à mort. Interdite dans un grand nombre de pays d'Europe (Angleterre, Belgique, Allemagne…), la chasse à courre existe encore en France. Le groupe formé par les hommes, les chevaux et les chiens s'appelle « l'équipage ».

La chasse à courre est décriée par les défenseurs des animaux, car le gibier peut courir des heures durant, jusqu'à épuisement. De plus, très bruyante, elle perturbe la tranquillité de la forêt. Le cheval de chasse à courre, appelé « hunter » par les Anglais (ce qui veut dire « chasseur »), doit être capable de galoper en pleine forêt et de sauter les obstacles rencontrés sur son passage sans hésiter à s'enfoncer dans les fourrés. Il porte son cavalier pendant plusieurs heures. C'est donc un cheval à la fois robuste et endurant.

La trompe de chasse permet aux cavaliers de communiquer entre eux malgré la distance qui les sépare.

Un animal fait pour la course

Les pur-sang anglais lancés à toute vitesse sont capables de galoper à plus de 60 kilomètres/heure !

Le champ de courses est le lieu de tous les espoirs et de tous les paris. Depuis que l'homme est cavalier, il fait courir les chevaux. En Arabie, en Grande-Bretagne ou au Japon, partout, la course est le moment de prouver que son cheval est le plus léger, le plus vif, en un mot : le meilleur.

Sur le champ de courses, les cris des parieurs se mêlent au grondement sourd du galop des chevaux. Ce sont les Anglais qui ont créé la race la plus rapide du monde : le *pur-sang anglais*. Il est aux chevaux ce que le lévrier est aux chiens : élancé et athlétique. Le plus célèbre d'entre eux fut le légendaire Éclipse, un magnifique étalon alezan, né en 1764, qui resta invaincu. Le Prix de l'Arc de triomphe, qui est le championnat du monde des courses de galop, a lieu tous les ans à l'hippodrome de Longchamp, en France. Un champion est appelé un « crack », et sa valeur peut atteindre des centaines de milliers d'euros.

Mais attention, si le pur-sang anglais est le meilleur sur les courses classiques (de 1 200 à 4 000 mètres), il se fait coiffer au poteau sur les sprints de 400 mètres par le fulgurant *quarter horse*, le cheval traditionnel des cowboys. Pour l'endurance, ce sont les chevaux du désert, *pur-sang arabe* et *akhal-téké*, qui tiennent le haut de l'affiche. Il existe aussi des courses de haies (le « steeple-chase ») et des courses de trot, attelé ou monté.

Pendant la course, le trotteur n'a pas le droit de galoper, sinon il est disqualifié !

Le saut d'obstacles

Le cheval est un excellent sauteur, qui franchit facilement des obstacles avec un cavalier sur le dos.

Les concours de saut d'obstacles, très spectaculaires, se déroulent sur un terrain clos où différents obstacles artificiels (barres, rivière…) sont dressés en fonction du niveau de la compétition. Les couples cavaliers-chevaux doivent franchir tous ces obstacles, sans en renverser. Ils sont chronométrés et doivent être plus rapides que leurs concurrents. S'ils réussissent à ne renverser aucun obstacle, le parcours est appelé un « sans-faute ». Sinon, pour chaque barre renversée, un nombre de points est ajouté, en pénalité, sur le chronomètre. Lorsque le cheval pile net devant l'obstacle et ne le saute pas, désobéissant à son cavalier, ce « refus » est une faute qui vaut aussi des points de pénalité.

Le saut d'obstacles est une discipline à part entière, mais est également une des trois épreuves qui constituent le concours complet, où chevaux et cavaliers doivent montrer leur aisance dans trois disciplines différentes (le dressage, la course sur terrain varié, appelée « cross », et le saut d'obstacles). Le record du monde de saut d'obstacles est détenu par Huaso, monté par Alberto Larriguibel-Moralés, au Chili, en 1949, qui a franchi 2,47 mètres de hauteur.

Le gagnant n'est pas le cavalier seul, mais bien le couple homme-cheval.

L'attelage

De nos jours, l'attelage est essentiellement utilisé pour les loisirs (calèches, roulottes…) et comme discipline sportive. Ici, un attelage franchit une rivière lors d'un concours, en Grande-Bretagne.

Atteler des chevaux (les attacher à une voiture) permet de profiter de leur force pour déplacer des véhicules plus ou moins lourds. S'il est devenu une véritable discipline sportive, l'attelage a été pendant des siècles le principal moyen de locomotion des hommes, qui n'étaient pas tous cavaliers. L'attelage comprend généralement un, deux ou quatre chevaux attelés. Le véhicule tracté est appelé la « voiture ». Les carrosses permettaient de se déplacer en ville et les charrettes étaient davantage utilisées dans les campagnes.

Autrefois baptisée « cocher », la personne qui dirige l'attelage est aujourd'hui appelée plus souvent « meneur », surtout dans la discipline sportive. Il est parfois assisté de « grooms », à ses côtés ou à l'arrière de la voiture. Le meneur doit avoir une grande complicité avec ses chevaux, car ceux-ci sont dirigés à l'aide des rênes, du fouet, et beaucoup à la voix. Il n'a pas de contact physique direct avec eux. Les chevaux d'attelage doivent donc faire preuve d'une grande maniabilité, car un accident peut être très dangereux, pour les hommes comme pour les animaux, si la voiture se renverse.

Les voitures attelées à des chevaux remplaçaient en ville nos actuels véhicules.

Les Indiens d'Amérique : un peuple de cavaliers

Avant d'avoir des chevaux, les Indiens utilisaient les chiens pour porter ou traîner leur chargement. L'arrivée du cheval, beaucoup plus puissant que le chien, fut pour eux une véritable révolution culturelle.

Si les chevaux sont originaires d'Amérique du Nord, ils avaient entièrement disparu de ce continent, pour des raisons encore inconnues, 10 000 ans avant J.-C. environ. Aussi, quand les conquistadors (les conquérants espagnols) ont débarqué au XVIᵉ siècle sur le Nouveau Continent, les peuples locaux n'avaient jamais vu un tel animal et furent très impressionnés. Mais les Indiens se rattrapèrent vite en volant ou en récupérant des chevaux échappés. Ils se mirent ensuite à les élever et devinrent très rapidement d'excellents cavaliers. Ils montaient à cru, c'est-à-dire sans selle, avec une simple corde pour diriger le cheval. Pour chasser le bison à l'arc, ils avaient besoin de se servir de leurs deux bras et dirigeaient leurs chevaux principalement à l'aide de leurs jambes.

Pour être capable d'une si grande aisance, il fallait qu'ils aient développé une réelle complicité avec leur monture ! Pour cette raison, les Indiens sélectionnaient les chevaux ayant un très bon caractère, et les races issues de l'élevage indien, comme l'*appaloosa* ou le *pinto*, sont encore réputées de nos jours pour leur docilité.

Les Indiens aimaient recouvrir leurs montures de peintures rituelles, surtout sur la croupe et l'encolure.

Le cheval de cirque, quel numéro !

Qui dit cirque dit piste, écuyers, plumes, projecteurs, poussière et... chevaux !
Cet animal est un élément indispensable au spectacle.

Doté d'une bonne mémoire et de bonne volonté, le cheval est un animal auquel on peut apprendre beaucoup de choses amusantes et spectaculaires : s'asseoir sur sa croupe, faire un salut au public, se cabrer et marcher sur les postérieurs, galoper en exécutant des figures, embêter le clown, faire le mort, laisser une belle danseuse sauter à la corde sur son dos... Les cirques inventent toujours de nouveaux numéros équestres esthétiques et impressionnants. Certaines familles d'écuyers sont très célèbres dans le monde, comme la famille Grüss, dont les chevaux ont émerveillé des générations d'enfants et d'adultes.

Certaines races sont préférées à d'autres pour le cirque, soit pour leur beauté, soit pour leur bonne aptitude au dressage. On trouve ainsi des *palominos* à la robe et à la crinière d'or ou les nobles *lipizzans* gris.

Le cirque a donné naissance au spectacle équestre, entièrement consacré aux chevaux. Cette magie trouve sans doute sa forme la plus aboutie dans les spectacles de Bartabas, longtemps accompagné de son grand *frison* noir, Zingaro.

La « poste hongroise » est un numéro d'équilibre dans lequel le cavalier a un pied sur le dos de deux chevaux différents.

La randonnée équestre

Dans les régions touristiques, les centres équestres organisent à la belle saison des promenades à cheval sur les plages, pour répondre à la demande des visiteurs.

Partir en randonnée est un plaisir partagé par beaucoup de cavaliers, que ce soit pour une escapade de deux heures, pour une équipée d'une semaine ou une véritable aventure de plusieurs mois. Mais cette équitation, dite « d'extérieur » par opposition à l'équitation qui se pratique à l'intérieur des manèges, possède ses règles propres. Il faut savoir adapter la vitesse de son cheval au terrain que l'on rencontre : on ne galopera jamais, par exemple, sur une route goudronnée, car cela ferait mal aux pattes du cheval, ni sur un chemin boueux, où il pourrait glisser. Il y a aussi des précautions à prendre, car la nature est imprévisible : ne pas oublier son imperméable et une trousse de secours, pour le cheval comme pour le cavalier. En effet, le cheval a vite fait de faire un écart lorsqu'une perdrix s'envole brusquement à quelques mètres de lui !

Aussi, pour prendre la clé des champs, il faut éviter les chevaux sportifs et nerveux, mais préférer les races calmes, rustiques et habituées à la vie au grand air, comme le *mérens*, petit cheval noir élevé dans les Pyrénées. Partir en groupe est recommandé pour une meilleure sécurité. Les mules, issues du croisement entre un âne et une jument, sont également d'excellentes compagnes de randonnée.

La selle de randonnée doit être très confortable pour que le randonneur puisse rester à cheval pendant plusieurs heures.

75

CRÉDITS PHOTOGRAPHIQUES

Conforme à la loi 49-956 du 16 juillet 1949 sur les publications destinées à la jeunesse

ISBN : 2-7324-3293-8

Dépôt légal : mai 2005

Imprimé en avril 2005 chez Proost en Belgique